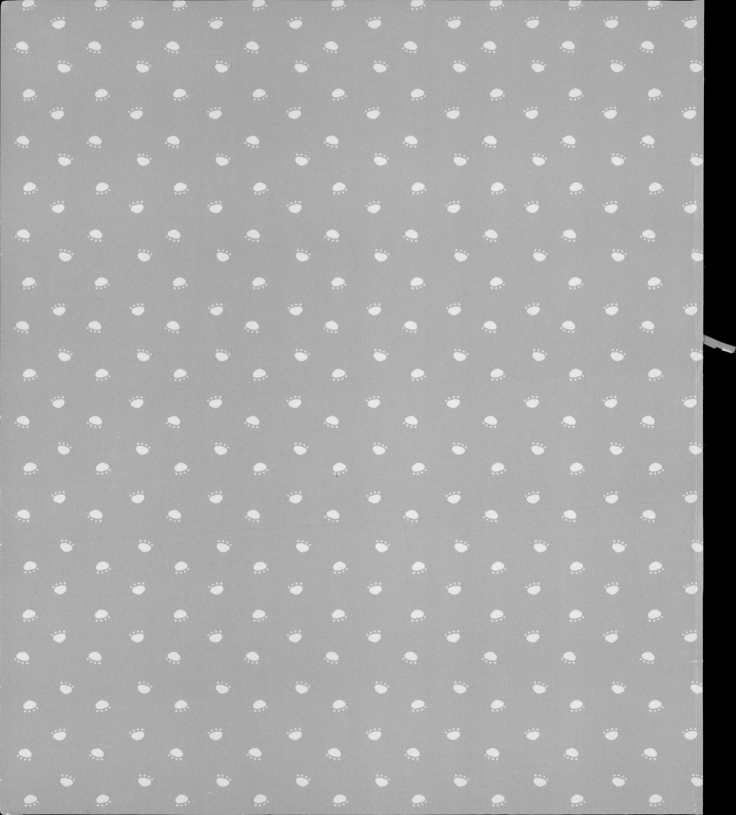

# Franklin pide perdón

Bourgeois, Paulette
   Franklin pide perdón / Paulette Bourgeois ; traductor
Dahian Herrmann.-- Bogotá : Grupo Editorial Norma, 2008.
   36 p. : il. ; 22 cm. -- (Colección Franklin)
   Título original : Franklin Says Sorry.
   ISBN 978-958-45-1034-1
   1. Cuentos infantiles canadienses 2. Perdón - Cuentos
infantiles 3. Libros ilustrados para niños I. Herrmann,
Dahian, tr. II. Tít. III. Serie.
I819.3 cd 21 ed.
A1161158

      CEP-Banco de la República-Biblioteca Luis Ángel Arango

Basado en un episodio de la serie animada de televisión Franklin, producida por Nelvana Limited, Neurones France s.a.r.l. y Neurones Luxembourg S.A., basado en los libros de Franklin escritos por Paulette Bourgeois y Brenda Clark.

Adaptación escrita por Sharon Jennings e ilustrada por John Lei, Alice Sinkner, Shelley Southern y Jelena Sisic. Basado en el episodio de televisión *Franklin Says Sorry*, escrito por Brian Lasenby.

Traducción de Dahian Herrmann
Diagramación de Patricia Martínez Linares
Impreso en México por Cargraphics, S.A. de C.V.

Primera impresión México, mayo de 2011

CC 26000399
ISBN 978-958-45-1034-1
EAN 9789584510341

# Franklin pide perdón

GRUPO
EDITORIAL
**norma**

http://www.librerianorma.com
Barcelona, Bogotá, Buenos Aires, Caracas, Guatemala, Lima, México, Miami, Panamá,
Quito, San José, San Juan, San Salvador, Santiago de Chile.

FRANKLIN tenía muchos amigos y sabía cómo ser un buen amigo. Él sabía que era muy importante compartir sus juguetes y mantener sus promesas. Había aprendido cómo ser un buen perdedor y un ganador cordial. Y un día Franklin aprendió a pedir perdón.

Franklin y sus amigos pasaron toda la mañana buscando cajas de juguetes y de reciclaje en el ático y en el sótano. Habían estado coleccionando cosas para convertir la casa del árbol en un barco.

Franklin encontró un sombrero.

—Este será el sombrero del capitán.

—Y este será nuestro telescopio —dijo Oso mientras sostenía una botella contra su ojo.

—¡Recórcholis! —gritó Oso—. ¡Un monstruo del océano a la vista!

—Yo no soy un monstruo del océano —sollozó Castora—. Soy la sirena que resguarda los tesoros hundidos.

—Bueno, compañeros —dijo Franklin—. ¡Vamos, transformemos la casa del árbol en un barco!

Todos trabajaron pintando y decorando. Al final del día,
se detuvieron a admirar lo que habían construido.
—Está empezando a verse como un barco —dijo Caracol.

—Pero aun le falta algo —dijo Castora.
—Algo especial —añadió Oso, pensativo.
Todos se pusieron de acuerdo para seguir trabajando la
mañana siguiente.

Al siguiente día, Franklin se encontró con Oso cuando iba hacia la casa del árbol. Oso tenía en sus manos una caja de zapatos.

—¿Qué tienes en esa caja? —preguntó Franklin.

Oso escondió la caja detrás de su espalda.

—No te puedo decir —respondió Oso.

Franklin estaba confundido.

—¿Por qué no? —preguntó.

—Es un secreto —explicó Oso—. Te enterarás de lo que hay aquí dentro cuando todos estemos en la casa del árbol.

—Por favor, Oso —suplicó Franklin—. Yo no les contaré a los demás.

—Bueno... está bien —aceptó Oso finalmente—. Pero aquí no.

Franklin y Oso se apresuraron para llegar a la casa del árbol. Oso se aseguró de que nadie más estuviera alrededor. Despues abrió la caja de zapatos y con mucho cuidado sacó una bandera. En ella se veía un barco y un arcoíris.

—¡Una bandera! —exclamó Franklin—. Es lo que necesita nuestro barco.

—La hice yo solo —dijo Oso orgulloso—. Quiero izar la bandera desde una rama y sorprender a los demás. Pero primero debo encontrar una cuerda.

Oso escondió la bandera debajo de un balde y bajó por las escaleras.

—Franklin —dijo Oso—. Recuerda no decirle a nadie.

Franklin estaba reparando la entrada de la casa del árbol cuando llegó Zorro.

—Encontré un timón para el barco —anunció Zorro.

—¡Perfecto! —dijo Franklin—.Y Oso trajo algo realmente especial.

—¿Qué trajo? —preguntó Zorro.

—No te puedo decir —dijo Franklin—. Es un secreto de Oso.

—Puedes decirme —dijo Zorro—.Yo también soy amigo de Oso.

Franklin pensó un momento.

—Por favor —suplicó Zorro.

—Supongo que está bien si te digo —dijo lentamente Franklin—. Pero no le puedes decir a nadie más.

—Yo sé guardar un secreto —respondió Zorro.

Franklin tomó la bandera del lugar donde estaba escondida.

—¡Esto sí que es especial! —exclamó Zorro.

—Oso se la va a mostrar a todos más tarde —explicó Franklin—, así que debemos mantenerlo en secreto.

—Así será —dijo Zorro—. No te preocupes.

Franklin puso la bandera en su lugar.

—Te veo después del almuerzo, Zorro —dijo Franklin—. Recuerda, no le digas a nadie.

Esa tarde, Oso hizo una parada en la casa de Franklin.

—Encontré la cuerda —dijo Oso—. Ahora puedo izar la bandera y mostrársela a los demás.

Pero cuando Franklin y Oso llegaron a la casa del árbol, encontraron a Zorro mostrándoles la bandera a Caracol y Castora.

—¡Zorro! —gritó Franklin—. Te pedí que no le dijeras a nadie. Oso miró con furia a Franklin.

—Y yo te pedí a ti que no le dijeras a nadie.

—Pero Zorro dijo que guardaría el secreto —alegó Franklin.

—Franklin, se suponía que tú debías guardar el secreto —respondió Oso—. Quiero mi bandera de regreso. ¡Me voy!

—Oso, espera un momento —suplicó Franklin mientras agarraba la bandera.

—¡Suéltala! —dijo Oso mientras daba un fuerte tirón a la bandera.

Todos escucharon un fuerte sonido. La bandera se había rasgado por la mitad.

—Esta es la última vez que te digo un secreto, Franklin.

Oso arrojó la mitad de la bandera que había quedado en sus manos, dio media vuelta y se fue.

Todos miraron a Franklin.

—Nunca había visto a Oso hablarle así a alguien —dijo Caracol.

—Qué bueno que yo no le dije a nadie —añadió Castora.

Franklin estaba preocupado.

—Es mejor que vaya y hable con Oso —dijo.

Pero Oso no quiso hablar con Franklin. Sin importar qué hiciera Franklin, Oso lo ignoraba todo el tiempo.

La mañana siguiente, Franklin le contó a Caracol lo que sucedía.

—Oso no quiere seguir siendo mi amigo —dijo Franklin con tristeza—. Fui a su casa, pero cerró la puerta cuando supo que era yo. Intenté ir a montar bicicleta con él, pero se alejó de mí. Y realicé un truco especial en el estanque en frente de él, y ni siquiera sonrió.

—¿Franklin, le has pedido perdón? —preguntó Caracol.

—Le dije que no fue mi intención revelar su secreto y que no lo volvería a hacer —respondió Franklin.

—¿Pero le pediste perdón? —repitió Caracol.

Franklin empezó a decir algo pero luego se detuvo. No dijo nada por un momento.

—No —respondió Franklin finalmente—. Nunca le pedí perdón, pero realmente lamento mucho lo que hice. ¿Cómo crees que puedo lograr que Oso me escuche?

—Bueno, pensaré en algo —respondió Caracol.

En la tarde, Franklin y sus amigos ya tenían un plan. Primero, pegaron las dos piezas de la bandera y la colgaron en una rama del árbol. Después se quedaron en silencio dentro de la casa del árbol, esperando que Oso se devolviera por su bandera. Oso no tardó mucho en regresar por su bandera.

—Hola Oso —dijo Franklin—. Tengo algo que decirte.

—Yo sólo regresé por mi bandera —respondió Oso.

—Por favor escucha a Franklin —suplicó Zorro.

—¿Por qué tengo que escuchar a Franklin? —preguntó Oso.

—Porque todos te extrañamos —respondieron Caracol y Castora.

Oso suspiró.

—Está bien —dijo Oso.

Franklin tomó aire.

—Te pido perdón Oso. Te pido perdón por haber revelado tu secreto —dijo Franklin—. Dame otra oportunidad por favor.

Oso se quedó mirando a Franklin por largo tiempo. Luego, sonrió y extendió su mano. Todos celebraron.

—¡Se me acaba de ocurrir un nombre para nuestro barco! —exclamó Oso—. El Barco Amistad. ¿Les gusta?

A todos les gustó el nombre. Especialmente a Franklin.